well

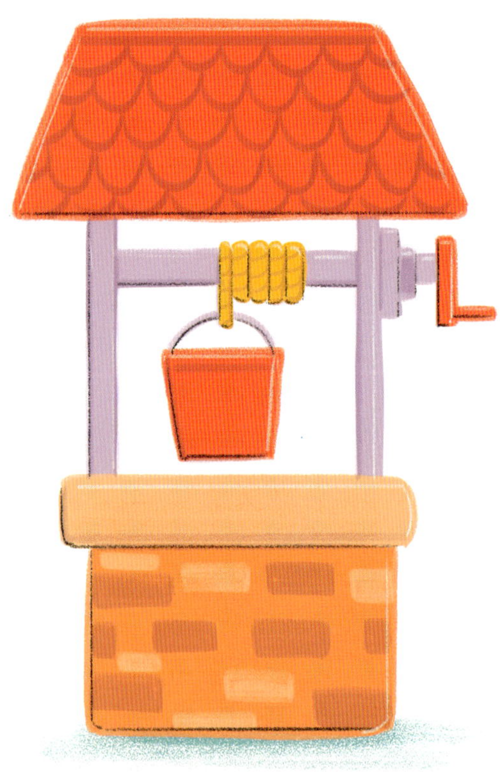

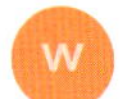
w
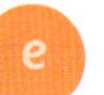
e
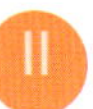
ll

zoo

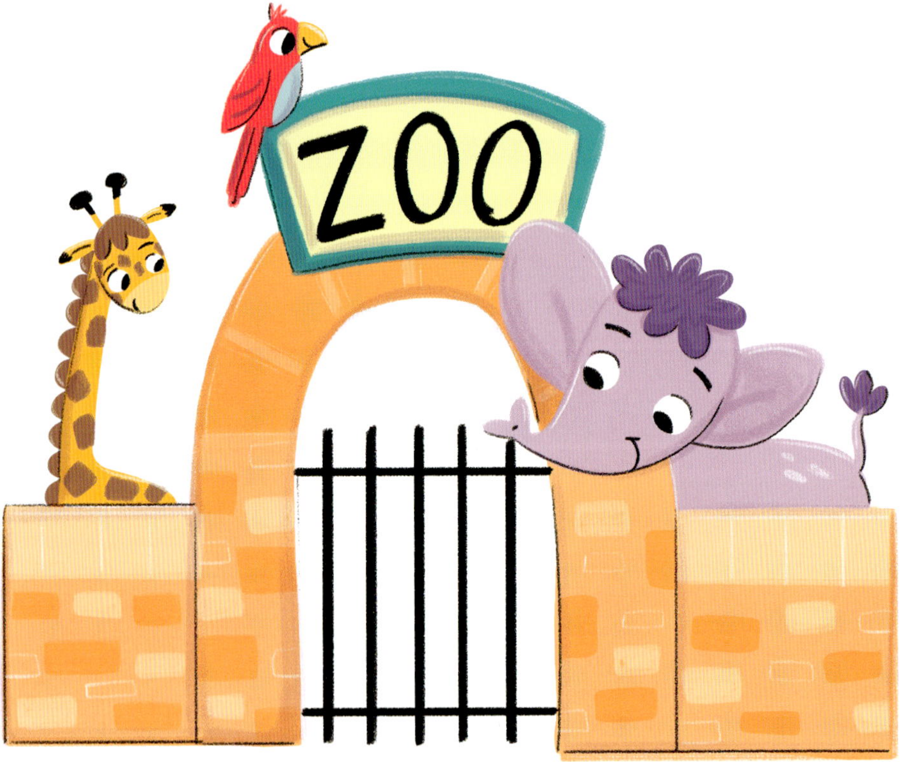

ZOO

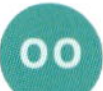

roof

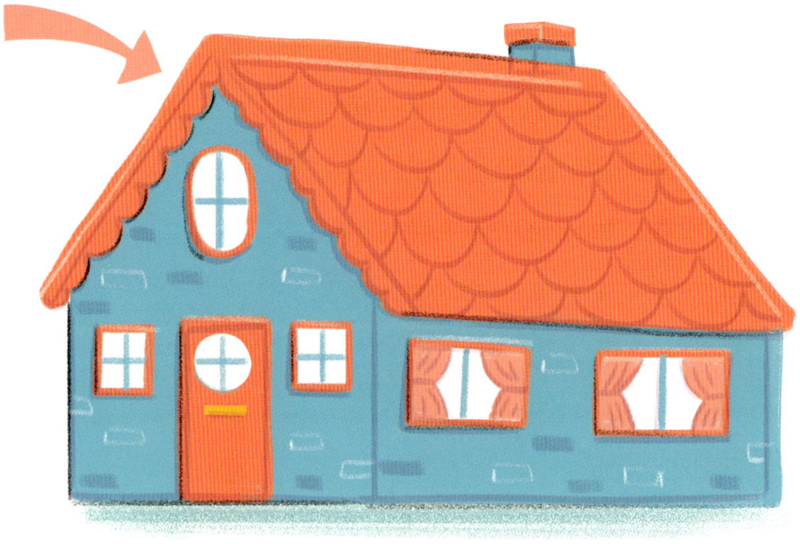

r

oo

f

hood

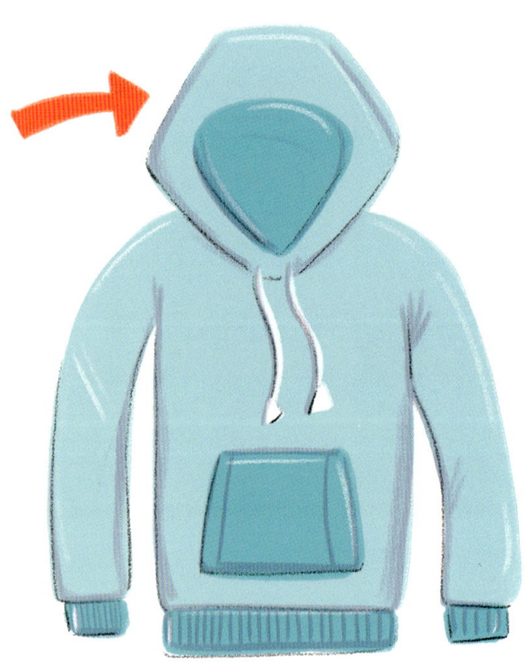

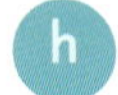
h

oo

d

twig

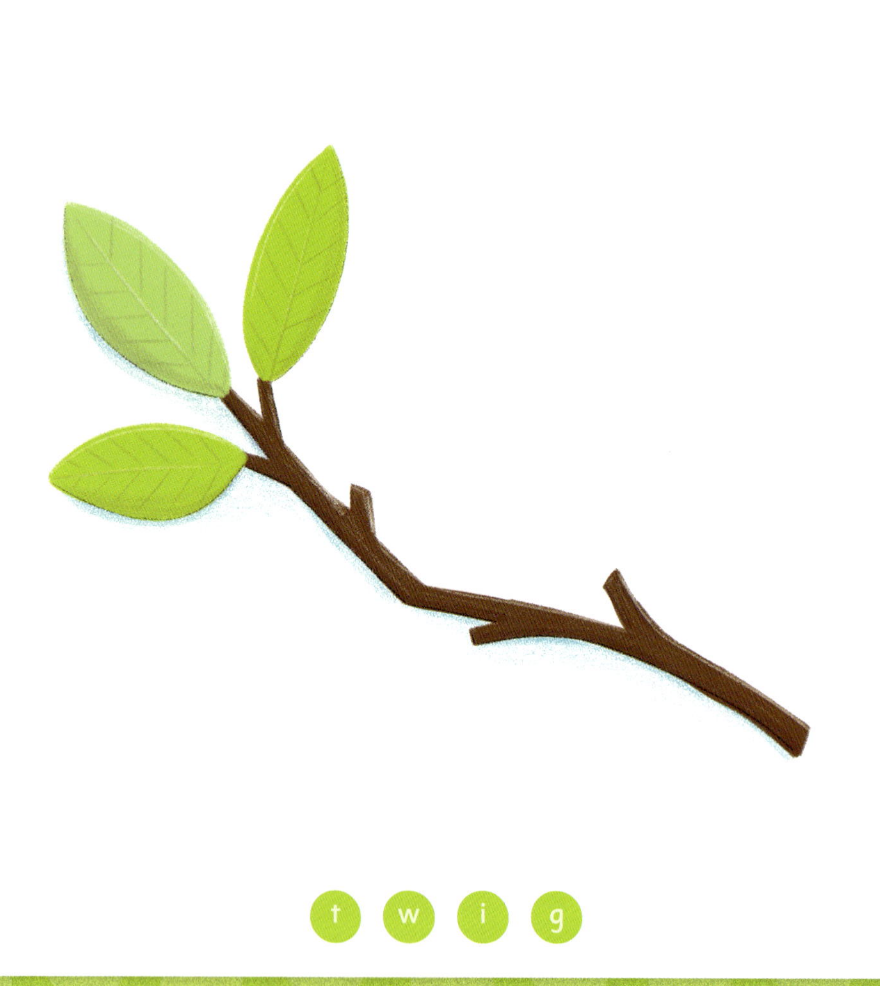
t w i g

swing

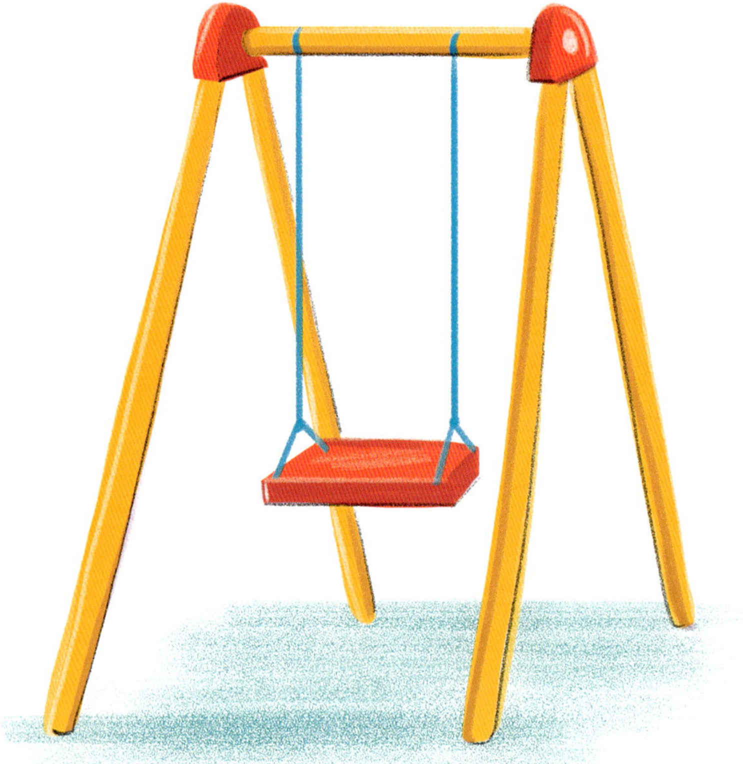

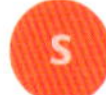
s

w
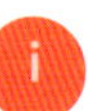
i

ng

seven

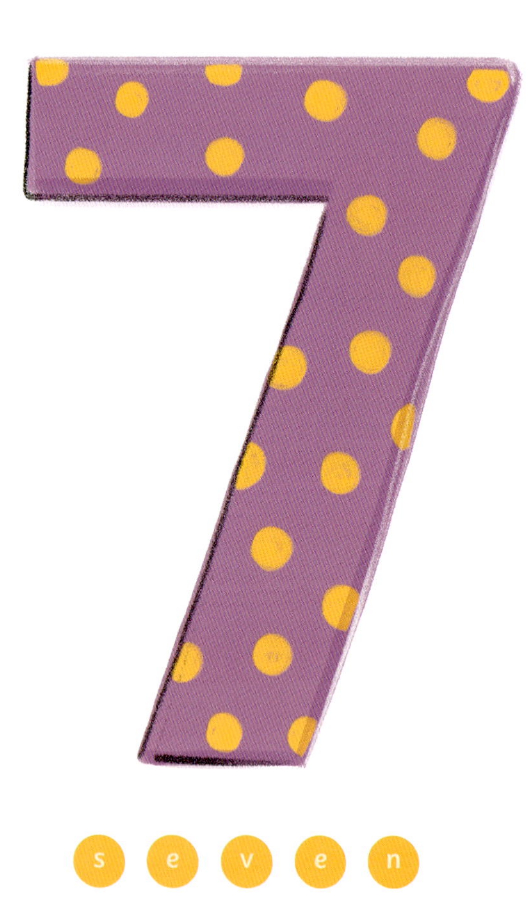
s e v e n

zigzag

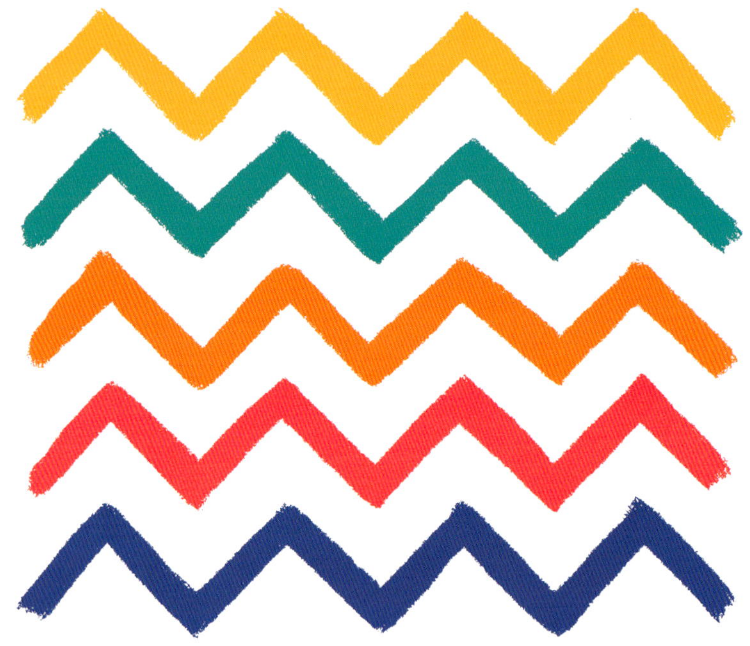

z i g z a g